P9-AFZ-337

Till

Marianne

– with love –

(på besök hos oss
på Oaxen, Sverige
17 april 1993)

Karin & Uffe

S 691

Svensk sommar

BOBBY ANDSTRÖM · W&W

NU GRÖNSKAR DET

Nu grönskar det i dalens famn,
nu doftar äng och lid.
Kom med, kom med på vandringsfärd
i vårens glada tid!
Var dag är som en gyllne skål,
till bredden fylld med vin.
Så drick min vän, drick sol och doft,
ty dagen den är din!

Långt bort från stadens gråa hus
vi glatt vår kosa styr,
och följer vägens vita band
mot ljusa äventyr.
Med öppna ögon låt oss se
på livets rikedom,
som gror och sjuder överallt,
där våren står i blom.

EVELYN LINDSTRÖM

rättsinnehavare:
AB Nordiska Musikförlaget

DEN SVENSKA SOMMAREN

Jag slår upp mitt fönster mot sommarhagen. Fågelsången är som en symfoni, mina bevingade vänner försöker överrösta varandra. I gräset glimmar ännu daggen som stora briljanter. Spindelnäten i ljungen ligger som jättelika diadem på utställning. Om några minuter är denna fägring borta när de värmande solstrålarna torkat upp nattens livgivande fukt. Jag går ut och gläds åt allt det sköna.

Ingen årstid är så efterlängtad och glädjerik som sommaren. Vår trånad efter denna härliga tid lyser igenom allt vårt handlande. Inget folk i världen lär ha en så omfattande diktning och sångskatt om sommaren som just det svenska. Den blomstertid nu kommer med lust och fägring stor – vem minns inte den gamla skolavslutningspsalmen som markerar en gräns mellan skolåret och sommarlovet, då när allt det skall hända som man drömt om under en lång vinter.

Kanske är det den dramatiska kontrasten mellan kall vinter och varm sommar med blommande ängar som får oss att drömma så intensivt. För förändringen är verkligen dramatisk. När stjärnorna lyser på himlapällen en iskall midvinternatt är det svårt att tänka sig att blåklockorna om bara några månader skall ringa sin spröda klang i sommarbacken. I fåglarnas reden skall en ny fågelgeneration kläckas och på några veckor bli flygfärdig, matad med sommardagens flygfän. Högt på en ljus sommarhimmel skall svalorna pila i ändlösa cirklar och lekfullt markera den nordiska delen av sin livscykel.

Men vad är då svensk sommar?

Rent tekniskt har vi sommartid, väl markerad i almanackan och med omställning av tiden. Klockorna flyttas fram en timme för att när allt det härliga har passerat åter flyttas tillbaka till ett dystert vinterklockslag.

Det är den tekniska sidan. Känslomässigt bjuder sommaren på andra ting. Kanske en Loranga i bersån eller nyplockade solvarma smultron i backen. En dragspelsvals på bryggan, måsar över Jungfrufjärden, krabbor i en hink i Marstrand. Eller varför inte fioler på en spelmansstämma, vita segel på sommarblått hav. Hagen som doftar, först av hägg och sedan syrén. Eller de förtrollade timmarna när älvorna dansar och nattviolen öppnar kalken och sprider sin symfoni över marken.

Sommar är också regn, stilla svala dagar med stänk på rutor. Vem har inte ett minne från tältnätter när fukten kom krypande och sovsäcken blev blöt i fotändan. Eller bilresan med monotont vispande vindrutetorkare alltmedan bilradion nynnade fram "Sommar, sommar, sommar..."

I drömmen är sommaren alltid solig, varm, åtminstone i min. Det är ljumma klipphällar, ett dopp när morgonsolen smyger upp över martallarna. Andfamiljen som vågar sig ut utanför vassruggen, gamle Gösta som lägger sina självknutna nät.

Min sommar har åtskilliga år förknippats med en ö. Den har varit sommarhamn för min segelbåt, runt pålarna på bryggan har jag slagit tusen sinom tusen halvslag. På samma brygga har jag också suttit med familjen i solnedgången och drömt om vind nästa dag. För hela tiden är sommaren en lång längtan efter vind, sol, en gädda på spöet, några aborrar i mjärden.

Jag letar mig tillbaka till pojkåren och minns den första kanoten av segelduk som jag fick ärva. I den gjorde jag spännande färder genom vassar och drömde om Sargassohavet. Den fina roddbåten i furu köpte far, och jag riggade den med en granstör som mast och en kaffesäck som segel. En båt att länsa med och sedan ro hem. Den kunde inte kryssa men väckte för all framtid min lust för hav och båtar.

Senare i livet upptäckte jag fjällvärldens dramatiska natur – de stora vidderna, tystnaden, färgprakten. Den första vandringen upp till södra Storfjället, Tärnafjällen i södra Lappland har stannat i minnet. På myrarna lyste hjortronen guldgula och saftiga. Det var första gången jag såg en älgtjur. Stor och mäktig stog han på myren och betraktade oss, en tolvtaggare med vinden i ryggen. För mig kommer skogens konung alltid att stå kvar på samma hjortronmyr. Jag skulle bli besviken om den inte gör det om jag en dag får tillfälle att återvända dit.

Till sommaren hör också förgängligheten. Sipporna om våren som visar att vinterns välde är brutet. De lyser en kort tid, vissnar och försvinner. Man går in i den ljuvliga försommaren. Björkarnas violetta knoppning förvandlas till ljusgröna musöron. När midsommarhelgen öppnar famnen känns allt så löftesrikt. Men ändå vet man att dagarna och nätterna ilar i väg. Ibland önskar man att man ägde en förmåga att hålla kvar allt det ljuvliga, låta tiden stå stilla. Men obevekligt rullar den vidare. Gräsandens ungar får fjäderskrud, svalornas ungar lär sig flyga. Nya sköna örter ersätter första och andra vågens fägring. Högsommaren bjuder på dofter från nyslagna ängar.

I sommardagens famn skulle jag vilja bli kvar. Kanske är det därför som jag försökt konservera sommaren med mina bilder i denna bok. För mig bjuder de på minnen och glädje, kalla det gärna nostalgi. Du har dina sommarminnen, jag har mina. Gemensamt för oss är vår längtan och vårt hopp. Det finns där likt frön som vi sätter i jorden. Efter en tid i mörk mull spirar liv och skönhet. Men bara när sommar, sol och värme har fått göra sitt.

Sommargrönskan utanför Visby ringmur och en skolklass på utflykt.

Just innan skolåret är till ända kommer skolklasserna till Stockholm för att titta på alla sevärdheter. Slottet och Gamla stan är givna attraktioner.

Motstående sida:

Djupt inbäddad i grönskan ligger den röda stugan, ursvensk och inbjudande. Flaggan är hissad och signalerar fest och fägring.

DEN SVENSKA FLAGGAN

Sveriges blå-gula flagga ger ett extra friskt intryck mot sommarens rikliga grönska, mot djupblå havsvågor eller mot en faluröd stuga. Dessutom infaller en stor del av de officiella flaggdagarna under den här delen av året – pingstdagen, nationaldagen och svenska flaggans dag den 6 juni, midsommardagen, kronprinsessan Victorias födelsedag den 14 juli och drottnings Silvias namnsdag den 8 augusti.

En flagga är inte svår att sy själv, bara du har gott om klarblått och solgult tyg. Här är måtten som gäller för en normalstor svensk flagga:

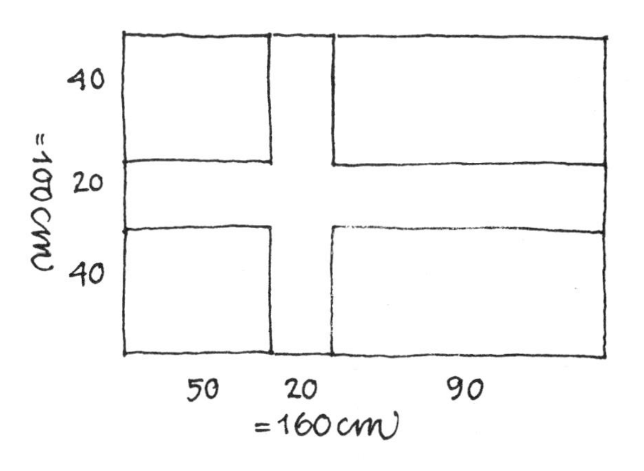

DEN BLOMSTERTID NU KOMMER

Den blomstertid nu kommer,
med lust och fägring stor.
Du nalkas ljuva sommar,
då gräs och gröda gror.
Med blid och livlig värma
till allt, som varit dött;
sig solens strålar närma,
och allt blir återfött.

De fagra blomsterängar
och åkerns ädla säd,
de rika örtesängar
och lundens gröna träd,
de skola oss påminna
Guds godhets rikedom,
att vi den nåd besinna,
som räcker året om.

I KOLMODIN 1694

SJUNGOM STUDENTENS LYCKLIGA DAG

Sjungom studentens lyckliga dag
låtom oss fröjdas i ungdomens vår!
Än klappar hjärtat med friska slag
och den ljusnande framtid är vår!
Inga stormar än i våra sinnen bo,
hoppet är vår vän, och vi dess löften tro,
när vi knyta förbund i den lund
där de härliga lagrarna gro,
där de härliga lagrarna gro!
HURRA!

SKÄRA, SKÄRA HAVRE

A. Skära, skära havre,
vem skall havren binda?
Ja, det skall allra kärestan min,
var skall jag henne finna?

B. Jag såg 'na i går afton
uti den klara månens sken.
När var tar sin
så tar jag min
och så blir udden utan.

C. Det var rätt och det var rätt
och det var rätt och lagom,
att udden fick i ringen gå
för ingen vill ha 'nom.

D. Fy skam, fy skam
för ingen ville ha 'nom.

A. De dansande går runt på rad i en ring.
B. Alla försöker få tag på en partner att gå hand i hand med.
C. Den som blir utan, "udden", går in i ringen och spelar överdrivet ledsen och låtsas gråta. De övriga går runt i ring hand i hand.
D. Alla stannar och pekar finger åt den stackars "udden".

BRO, BRO, BREJA

A. Bro, bro breja,
stockar och stenar,
alla goda renar.
Ingen slipper härfram, här fram,
förrän han säger sin kärastes namn.

B. Vad heter han/hon?

C. Har du tagit prästens skor,
prästens skor, prästens skor?
Har du tagit prästens skor?
Har du tagit prästens skor?
Guld eller silver?

Två av de lekande fattar varandras händer, lyfter upp dem och bildar en bro. I hemlighet bestämmer de vem som är "guld" respektive "silver".

A. Under bron passerar de övriga i en rad.

B. På "han/hon" sänker paret sina armar runt den som just då befinner sig under bron. Raden stannar upp. Den infångade måste högt säga namnet på sin "käraste".

C. T o m "guld eller silver" vaggar paret den infångade fram och tillbaka. Sedan viskar den infångade – som ju inte vet vem som är "guld" eller "silver" – sitt val. Han/hon får nu veta vilken sida han/hon tillhör, och ställer sig bakom den han/hon valt.

Leken tas om från början. När alla i raden valt sida avslutas det hela med en dragkamp mellan guld- och silversidan.

JUNGFRU, JUNGFRU, JUNGFRU, JUNGFRU SKÄR

A. Jungfru, jungfru, jungfru, jungfru skär,
här är karusellen som ska gå till kvällen.
Tio för de stora och fem för de små,
skynda på, skynda på, nu ska karusellen gå.
B. För ha, ha, ha, nu går det ju så bra,
för Andersson och Pettersson och Lundström å ja'.
För ha ha ha...

A. Flickorna bilder en ring med armkrok. Pojkarrna ställer sig bakom varsin flicka med händerna på hennes axlar (alternativt tvärtom). Sparksteg på plats.

B. Sidgalopp åt vänster (medsols). Vid reprisen sidgalopp år höger.

Midsommartid – leende fägring och doft av syrén. På Ömans nyklippta äng på Risholmen i Stockholms skärgård samlas man traditionsenligt till lekar och upptåg.

SJU VACKRA FLICKOR I EN RING

A. Sju vackra flickor i en ring,
vackraste flickor häromkring,
ibland de flickor alla.

B. Flickorna vända sig omkring,
sökande efter vännen sin,
ibland de gossar alla.

C. Vara vem det vara vill,

D. Den som jag räcker handen till,
han får mitt unga hjärta.

E. Nu kan jag vara riktigt gla',

F. Nu har jag fått den jag vill ha,
ibland de gossar alla.

A. Pojkarna dansar medsols hand i hand i ytterringen. Flickorna dansar motsols med små springsteg i innerringen.

B. Flickorna klappar händerna, vänder sig mot ytterringen och fortsätter dansen motsols.

C. Flickorna springer fram och bjuder upp varsin pojke.

D. Paren räcker varandra högerhänderna och svänger händerna i takt med sången.

E. Paren dansar medsols runt stången med raka springsteg, hållande i varandras händer.

F. Paren byter varv och dansar nu motsols.

Dansen upprepas med ”sju vackra gossar” i innerringen.

SILL HÖR SOMMAR-BORDET TILL

Sillen är oundviklig på ett genuint svenskt midsommarbord. En burk matjesillfiléer, färsk nykokt potatis, gräddfil och gräslök – kan man tänka sig något läckrare när det stundar till sommarens viktigaste fest?

Här är två varianter som är värda att pröva:

SENAPSMATJES

1 burk matjesfiléer, ca 200 g

Marinad:
1 äggula
1 msk senap, helst örtsenap
2 dl gräddfil
2 kryddmått salt

Garnering:
fräscha dillkvistar

Låt filéerna rinna av. Skär dem i bitar rätt över och lägg dem på ett fat. Blanda ingredienserna till marinaden. Häll dem över sillen. Låt stå svalt att "dra" ett par timmar eller över natten. Garnera med dill och servera, helst med nykokt färskpotatis.

CURRYSILL

Här är ett omtyckt recept som gör stor lycka på alla bord:

4–6 urvattnade saltsillfiléer

Lag:
1 dl okryddat brännvin
2–3 msk curry
1 dl ättikslag
socker efter personlig smak
1 msk kokande vatten
0,5–1 tsk paprikapulver
ev. 1 msk vinäger och salt

Skär filéerna i bitar. Slå över brännvinet. Lös upp curryn i en matsked kokande vatten och vispa ihop med resten av ingredienserna. Slå lagen över sillen, täck skålen med folie eller liknande och låt anrättningen stå i kylen över natten. Smaka dig fram. De kan behövas mer salt och socker. Klipp i massor av dill som helst skall vara färsk.

BRÄNNVIN OCH LIKÖR

Många svenskar har svårt att tänka sig en midsommarfest eller kräftskiva utan en nubbe till sill och kräftor och ett glas likör till kaffet. Vill man dessutom ha nöje av brännvinet redan innan det dricks ska man krydda sin dryck. Det är en charmerande och trevlig hobby, en fröjd för ögat och inte minst gommen. Tänk er själva att vandra ut i naturen, plocka örter och bär, hälla på flaska och sedan lugnt vänta på det goda resultatet. Man behöver inte vara rädd för att misslyckas.

Malört är den vanligaste kryddan för brännvin. Den ger en bitterljuv smak som varje förståsigpåare verkligen uppskattar.

Man kan tillreda beska droppar på många sätt. Allra enklast är att lägga en kvist i brännvin. Kvisten ska skördas när malörten står i blom. Man känner lätt igen de små gula blommorna. Kvisten kan också torkas om man vill tillreda den klassiska magmedicinen senare. Efter en vecka filtrerar man.

En annan variant är att lägga blommorna på ett fat, hälla brännvin på och sedan bränna av ett par minuter. Då uppstår en brun vätska som silas ifrån och blandas som essens med brännvin.

Hittar man en malörtskvist kan det vara värt att skynda till systemet. Öppna flaskan, helst av svag sort, stick ner kvisten, skruva på kapsylen. Vänta några dagar, sila och smaka. Det mest fenomenala resultatet får man om brygden sparas ett par månader eller kanske ett helt år. Det höjer kvaliteten och stärker karaktären.

Vill man krydda brännvin med rönnbär, svartvinbär, slånbär, hallon, björnbär, hjortron eller åkerbär så gör man på samma sätt som ovan. Bären får dra några veckor i brännvin. Den dekokt som man så får fram droppas i brännvin.

Av alla de här bären kan man också göra likörer – några, t ex hjortron lämpar sig bättre i den formen. Då gör man helt enkelt så att man tillsätter florsocker till det färdigkryddade brännvinet. Ett halvt kilo socker per liter brännvin kan vara lagom. Skaka flaskan ofta och ge blandningen gott om tid att stabilisera sig.

Konsten att krydda brännvin ger stort utrymme för egna idéer och experiment. Alla de här dryckerna går att spetsa med starksprit, späda ut

Anders Zorn, Midsommardans, Nationalmuseum, Stockholm

med renat om kryddningen blivit för stark eller sockra om det behövs.

Den som intresserar sig för saken anar snart att brännvinskryddning inte är någon svår eller tillkrånglad konst. Allt som behövs är naturintresse, en känsla för markens örter. Det är svårt att tänka sig en angenämare form av naturkontakt än den man får en sommardag när man vandrar över blommande ängar. Bland allt det som spirar och växer finns härliga kryddor som rätt utnyttjade kan bli en källa till sällsam glädje. Hur skönt kan det inte vara att konservera den flyende sommarens dofter och smaker i ett egenhändigt kryddat brännvin. Något att ta till i vårt stundom så kulna klimat.

TILL SUPEN SÅ TAGER MAN SILL

Melodi: Vi gå över daggstänkta berg

Till supen så tager man sill, fallera
och gärna en anjovis om man vill, fallera
Och om man är oviss
om sillen är anjovis
så tar man bara några supar till, fallera!

Vi går över ån efter sprit, fallera
men efter vatten går vi ej en bit, fallera
Ja, sup kära bröder
fast näsan är röder
En gång blir den nog ack va vit, fallera!

ÖPPNA LANDSKAP

Jag trivs bäst i öppna landskap
nära havet till jag bo
några månader om året
så att själen kan få ro
Jag trivs bäst i öppna landskap
där vindarna får fart
där lärkorna står högt i skyn
och sjunger underbart
Där bränner jag mitt brännvin själv
och kryddar med Johannesört
och dricker det med välbehag
till sill och hembakt vört
Jag trivs bäst i öppna landskap
nära havet vill jag bo

Jag trivs bäst i fred och frihet
för både kropp och själ
Ingen kommer i min närhet
som stänger in och stjäl
Jag trivs bäst när dagen bräcker
när fälten fylls av ljus
och tuppar gal på avstånd
och det är långt till närmsta hus
Men ändå så pass nära
att en tyst och stilla natt
när man sitter under stjärnorna
kan man höra festens skratt
Jag trivs bäst i fred och frihet
för både kropp och själ

Jag trivs bäst när havet svallar
och måsarna ger skri
när stranden fylls av snäckskal
med havsmusik uti
När det klara och det enkla
får råda som det vill
När ja är ja och nej är nej
och tvivlet tiger still
Då binder jag en krans av löv
och lägger den vid närmsta sten
där runor ristats för vår skull
nån gång för länge sen
Jag trivs bäst när havet svallar
och måsarna ger skri

Jag trivs bäst i öppna landskap
nära havet vill jag bo

ULF LUNDELL

SOLNEDGÅNG PÅ HAVET

Jag ligger på kabelgattet
rökande "Fem blå bröder"
och tänker på intet.

Havet är grönt,
så dunkelt absintgrönt;
det är bittert som chlormagnesium
och saltare än chlornatrium;
det är kyskt som jodkalium;
och glömska, glömska
av stora synder och stora sorger
det ger endast havet,
och absint!

O du gröna absinthav,
o du stilla absintglömska,
döva mina sinnen
och låt mig somna i ro,
som förr jag somnade
över en artikel i
Revue des deux Mondes!

Sverige ligger som en rök,
som röken av en maduro-havanna,
och solen sitter däröver
som en halvsläckt cigarr,
men runt kring horisonten
stå brotten så röda
som bengaliska eldar
och lysa på eländet.

AUGUST STRINDBERG

JUNINATTEN

Nu går solen knappast ner
bländar bara av sitt sken.
Skymningsbård blir skymningstimme
varken tidig eller sen.

Insjön håller kvällens ljus
glidande på vattenspegeln
eller vacklande på vågor
som långt innan de har mörknat
spegla morgonsolens lågor.

Juninatt blir aldrig av,
liknar mest en daggig dag.
Slöjlikt lyfter sig dess skymning
och bärs bort på mörka hav.

HARRY MARTINSON

JUNGFRU MARIA

Hon kommer utför ängarna vid Sjugareby.
Hon är en liten kulla med mandelblommans hy,
ja, som mandelblom och nyponblom långt bort från väg och by,
där aldrig det dammar och vandras.
Vilka stigar har du vankat, så att solen dig ej bränt?
Vad har du drömt, Maria, i ditt unga bröst och känt,
att ditt blod icke brinner som de andras?
Det skiner så förunderligt ifrån ditt bara hår,
och din panna är som bågiga månen,
när över Bergsängsbackar han vit och lutad går
och lyser genom vårliga slånen.

Nu svalkar aftonvinden i aklejornas lid,
och gula liljeklockor ringa helgsmål och frid;
knappt gnäggar hagens fåle, knappt bräker fållans kid,
knappt piper det i svalbon och lundar.
Nu går Dalarnes yngingar och flickor par om par;
du är utvald framför andra, du är önskad av en var,
vad går du då ensam och begrundar?
Du är som jungfrun, kommen från sitt första nattvardsbord,
som i den tysta pingstnatt vill vaka
med all sitt hjärtas bävan och tänka på de ord
hon förnummit och de under hon fått smaka.

Vänd om, vänd om, Maria, nu blir aftonen sen.
Din moder månde sörja, att du strövar så allen.
Du är liten och bräcklig som knäckepilens gren,
och i skogen går den slående björnen.
Ack, den rosen som du håller är ditt tecken och din vård,
den är bringad av en ängel från en salig örtagård:
du kan trampa på ormar och törnen.
Ja, den strålen som ligger så blänkande och lång
ifrån aftonrodnans fäste över Siljan –
du kunde gå till paradis i kväll din brudegång
på den smala och skälvande tiljan.

ERIK AXEL KARLFELDT

Julia Beck, Månsken över hövolmar, Nationalmuseum, Stockholm

FYND PÅ STRANDEN

Få saker känns så spännande som att gå och driva på en havsstrand. Det är dessutom en sysselsättning som passar de dagar när vädret inte lockar till bad och soldyrkan.

Promenaden kan tillföras ett stänk av spänning om man tänker på allt som havet sköljer in på våra stränder. Och vem vill inte var sakletare? Det kan ju finnas saker som har kastats i havet långt borta och sedan drivit in med vind och vågor. När jag har vandrat på de långa vita sandstränderna på Sveriges sydkust har jag hittat små lådor med underlig text på. I min samling finns också en glödlampa av en sort som jag aldrig har sett i Sverige. Tyvärr samlas det ju även allsköns bråte på stränderna – plastpåsar, badsandaler, flaskor. Det finns nästan ingen ände på allt som vräks i havet.

Har man tur kan man kanske hitta bärnsten. Det är den förstenade kådan från barrträd som på

De satt på en bänk i Simrishamn i Skåne och tittade ut mot havet. En sommardags vänliga fröjd. På glittrande böljor väntade seglarna på vind.

Ett fång örter formerade till en bukett i en bergsskreva. År efter år finns den där, alltid lika fager.

tertiärtiden växte i området mellan Gotland och sydostbaltiska kusten.

Stenarna är i regel guldfärgade och mjukt slipade. Speciellt fascinerande är de bärnstenar som innehåller små partiklar, kanske rentav en spindel eller fluga. Tidigare var bärnstenarna en viktigt handelsvara, för de ansågs besitta medicinska egenskaper. I dag använder man den förstenade kådan till smycken. Tänk dig ett halssmycke av en vacker bärnstensbit i en kedja eller ett snöre om halsen.

VOLLEYBOLL

Volleyboll är en lagsport som gärna kan spelas på en sandstrand eftersom den bygger på att bollen inte får studsa i marken. Spelet kräver ett minimum av utrustning – bara en boll, och så ett nät eller snöre som spänns upp ungefär 2,4 meter över marken. Planen ska mäta 9×18 meter. Spelarnas antal kan variera från två till tolv i varje lag, men sex är det vanligaste.

Spelaren i planens bakre högra hörn servar genom att slå bollen med knytnäven över till motståndarlaget. Sedan får bollen studsa högst tre gånger inom samma lag innan den måste tillbaka över nätet. En spelare får inte ta bollen två gånger i följd. Lyckad serve ger en poäng, och så får samma spelare serva igen. Om serven misslyckas får den över till det andra laget, som dock detta läge alltid först roterar ett steg medsols innan det börjar serva.

Det lag som först når 15 poäng vinner setet, men man måste vinna med minst två poäng (vid ställningen 15–14 fortsätter alltså setet). En match brukar spelas i bäst av fem set.

BADMINTON

Badminton är en lämplig strandsport av samma anledning som volleyboll – bollen ska aldrig studsa i marken. Man spelar på en plan som mäter 5,2×13,4 meter (i dubbel 6,1×13,6), och som indelas i två halvor av ett nät eller snöre spänt på 1,55 meters höjd. Utrustningen i övrigt består av varsin racket till spelarna, samt en fjäderboll. Sådana set brukar man kunna köpa i närmaste bensinmack.

I badminton måste man serva underifrån. Varje lyckad serve ger en poäng, men misslyckas serven är det motståndarens tur att serva. I dubbel skiftar serveparet ruta efter varje vunnen poäng, så att mottagaren växlar. Om fel man råkar ta emot serven så får serveparet en poäng.

Liksom i volleyboll spelas ett set till 15 poäng, och man måste vinna med minst 2 poängs försprång. Man brukar spela en match i bäst av tre set.

BRÄNNBOLL

Brännboll är ett gammalt klassiskt sommarspel, som spelas på en gräsmatta eller grusplan. Man bör vara minst 6 personer i varje lag. Planens storlek anpassas till antalet deltagare, men den ska vara kvadratisk och sidan ska mäta ungefär 15–25 meter. Hörnen markeras tydligt. Utrustningen består av ett slagträ, en boll av typ tennisboll och en brännplatta (en plankbit duger).

Medlemmarna i innelaget slår iväg bollen och springer sedan runt planen. De får stanna vid de markerade hörnorna. Slagmannen har tre försök, om han misslyckas så får han helt lugnt gå till hörna nr 1. Giltligt slag är slag som passerar i luften över linjen mellan hörna 1 och 4.

Utelaget ska fånga bollen, kasta den till brännaren som ska skrika "bränd!" då han med bollen i handen når brännplattan. Bränd blir den innespelare som inte har hunnit fram till någon hörna, utan fortfarande befinner sig i loppet då brännaren skriker "bränd!". Löparna har rätt att vända tillbaka i loppet till den hörna de just passerat.

Utelaget blir innelag då:
1. innelaget inte har några spelare kvar inne (sk innebränning)
2. det tagit fem lyror
3. då halva tiden gått, exempelvis 15 minuter.

Poängräkning

Till innelaget:
1 poäng för varje spelare som kommer in efter fullgått varv
4 poäng för frivarv

Till utelaget:
1 poäng för lyra
4 poäng för bränning

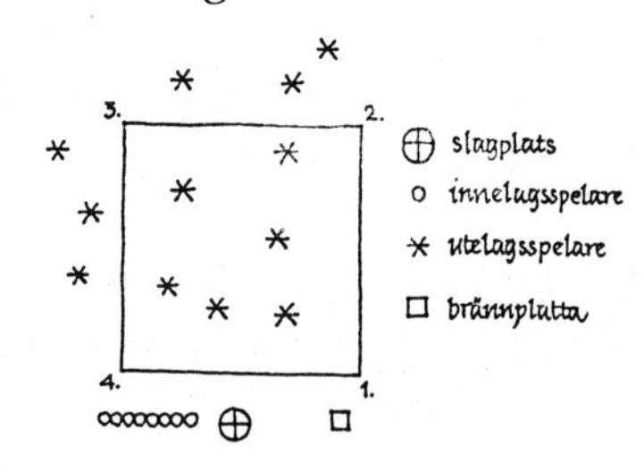

Bruno Liljefors, Varpkastare, Nationalmuseum, Stockholm

VARPA

Varpa är ett gammalt nordiskt spel, som ursprungligen kommer från Gotland men numera spelas på sandstränder över hela Sverige . Äldre tiders rundslipade stenar har ersatts av platta, runda metallstycken med avtryck för tumme och pekfinger. Dessa kastas mot två målstickor, som placerats nerstuckna i sanden på ca 20 meters avstånd från kastarna. Spelet finns i två varianter:

Kulkastning – här gäller det att så många gånger som möjligt komma närmare målstickan än motståndaren.

Centimeterskastning – det går ut på att nå minsta möjliga sammanlagda avstånd från stickan vid ett visst antal kast.

BOCCIA

Boccia är ett italienskt bollspel som lämpar sig alldeles utmärkt att spela på badstranden. Man börjar med att kasta ut ett litet klot, och sedan gäller det för spelarna att kasta sina egna klot så nära detta som möjligt. Vinnaren i varje omgång får lika många poäng som han/hon har klot närmare målklotet än motståndarens bäst placerade. Först till 10 poäng (eller 12 eller 20) vinner.

De satt i solnedgången på piren i Bergkvara och metade. Till höger Mickes första gädda på bergklacken vid Söderholmen.

DET ÄR ROLIGT ATT GRILLA

En av sommarens sköna konster är att tillreda sin mat över glödande kol eller de falnade resterna av en öppen eld. Något av urmannens hemlighetsmakeri vid den öppna elden tränger fram. Dofterna kittlar näsan, det fräser när fettet droppar ner i glöden. Köttet på grillgallret får en allt härligare och aptitligare färg.

Det är lätt att tillverka en grill, stor eller liten (om man inte köper en i snabbköpet eller bensinmacken). Av t ex tegelstenar kan man rada upp en lämplig utespis. Man behöver bara tänka på att den bädd där grillkolet eller grillbriketterna ska ligga inte kommer för långt ifrån gallret. Om man inte har ett rostfritt grillgaller kan man lätt tillverka ett av grov ståltråd spänd på en träram. Men kom ihåg att tråden inte får vara galvanise-

rad. Galvaniserade metallföremål ger ifrån sig giftiga gaser när de upphettas. Undvid därför fotskrapor och liknande.

Knepen är många när det gäller att tända grillen. I handeln finns speciell s k tändvätska som är bra och säker att använda. Man dränker in grillkolen med tändvätskan och låter kolen dra i sig vätskan några minuter. Det ger en säker start och tänder kolen. Numera finns också en speciell sorts tändblock som man smular ner bland kolbitarna och tänder på. Blocken brinner tillräckligt länge för att tända grillbrasan. Vill man ge strålvärmen speciell krydda kan man komplettera kolen med t ex enristoppar och tallkottar.

Men de största gastronomiska segrarna får man otvivelaktigt med kryddor och marinader. Marinad för kött kan bestå av olja, soja, salt, peppar och tabasco som köttbitarna får ligga i en god stund före anrättningen.

Pröva det här enkla receptet:
Skär fläskfilé i cirka två centimeter tjocka skivor. Blanda olja, vinäger, kryddor och lägg skivorna i denna marinad i två timmar. Vänd dem en gång under tiden.

Sedan är det dags för grillning. Tid: 3–4 minuter per sida. Krydda med salt och peppar. Eventuellt kan man koka en del av marinaden till en sås som hälls bredvid filébitarna på serveringsfatet. Råstekt potatis och grönsallad med tomater smakar härligt till.

Grillad kyckling enligt följande recept kan verkligen rekommenderas. Köp en färsk kyckling, 8–9 hg, dela den i två delar (har ni grill med roterande spett behöver inte fågeln delas). I god tid före anrättningen penslar man på kryddor i olja. Blanda 1/3 rökt grillsalt, 1/3 mexikansk kryddblandning och 1/3 grovmalen svartpeppar i skål eller burk tillsammans med olja. Pensla på noga.

På en gjutjärnsgrill av Hibachityp tar den 40–50 minuter innan kycklingen har blivit genomgrillad. Samtidigt har den fått ett härligt knaprigt skinn som ger fågeln god smak. Kom ihåg att vända kycklingen under grillningen. Se särskilt noga till att det tjocka partiet mellan ben och bröst blir genomgrillat.

Duka med grönsallad och tomater. Är det säsong passar färsk potatis bra till. Drick rött vin, rosé eller väl tempererat öl till, och ställ tunnbröd och kylskåpskallt smör eller flora på bordet.

Den ovan nämda kryddblandningen är för övrigt mycket lyckad även när man grillar kött. Två centimeter tjocka skivor T-bone eller clubsteak penslas eller kanske ännu hellre läggs i en tallrik med kryddsåsen. Efter en timme kan man lägga köttskivorna på grillen och låta värmen arbeta 8–10 minuter. Pensla gärna under grillningens gång med resterna från tallriken.

Den nyblivna utekockens största problem brukar vara grilltiden. Eftersom den ena grillen inte är den andra lik kan följande tabell endast användas som rekommendation i stort. Ett lätt snitt i köttbitarna ger annars gott besked om resultatet.

Oxfilé i skivor	6–8 min
Biff (entrecôte i skivor)	7–8 min
Fläskkotlett	8–10 min
Bogfläsk i skivor	10 min
Fläskfilé	5 min
Kalvkotlett	8–10 min
Njure (extra gott!)	7–8 min
Lever i skivor	8 min
Prinskorv	3–4 min
Grillkorv	4 min
Isterband	5–7 min
Falukorv i skivor	4–5 min
Strömming (sotare)	6–7 min
Lax i skivor	8–10 min

Rent principiellt kan sägas att det kött som man grillar skall vara fett, annars blir rätten lätt torr och hård. Självklart kan det hjälpas upp med oljepensling och lättare grillning.

Smaklig sommarmåltid!

BYGG OCH FLYG EN DRAKE

Detta behöver du:

Två trälister, grovlek 5×10 mm, 75 respektive 50 cm långa
fyra märlor
kraftigt papper eller plast
tunt snöre
löplina på spole, fisklina t ex
silkespapper, färgpennor för utsmyckningen
sax, klister, hammare och spik behövs för bygget

1. Börja med att slå i en märla i varje listända. Här ska du senare fästa snören.

2. Spika ihop listerna till ett kors, fästpunkten ska ligga 25 cm in på den långa ribban. Vill du göra din drake extra stark kan du också limma här.

3. Led ett snöre genom alla fyra märlorna, dra åt och knyt ordentligt.

4. Lägg korset på ett papper eller kraftig plast och rita konturerna med 5–10 cm sömsmån.

5. Nu kommer din fantasi till pass – måla ett drakmönster på eller klistra fast olikfärgade remsor av silkespapper på papperet eller plasten.

6. Nästa moment är att fästa papperet eller plasten på träkorset. Stryk lim på ribborna. Vik papperet över snörena och limma.

7. Nu knyter du fast fyra snören i var sin märla.

8. Lägg draken på golvet med den dekorerade sidan uppåt. Knyt ihop de fyra snören med en enda knut. Detta är ett viktigt moment – knuten ska sitta ca 50 cm från draken och rakt ovanför den punkt där ribborna är fästa.

9. Nu har turen kommit till svansen. Knyt små rosetter av silkespapper på ett snöre och fäst den i märlan i drakens spets. Den ska vara ganska lång, 2–3 meter. Längst ut på svansen kan du göra en extra utsmyckning av mångfärgade band.

10. Nu är det dags att flyga! Fäst löplinan vid den punkt där de fyra snörena går samman. Låt en kamrat hålla draken medan du själv går mot vinden och låter linan löpa ut. Spring en liten bit så stiger draken när löplinan sträcks.

Hon satt lutad mot fiskebodsväggen i Kåsebergas hamn och stickade. Solen värmde skönt. Från rökerierna kunde man känna doften av rökt sill och ål.

SÄNKA SKEPP

En gammal trevlig sysselsättning som många barn tycker om, även i dataspelens tid.

De två spelarna ritar upp två spelplaner vardera, förslagsvis 10 gånger 10 rutor på ett rutat papper. Vågrätt numrerar man rutorna från 1 till 10, lodrätt ger man rutorna bokstäver från A till J. På den ena spelplanen markerar man ut sina tio fartyg: 4 ubåtar (två rutor), 3 torpedbåtar (tre rutor), 2 kryssare (fyra rutor) och 1 slagskepp (fem rutor). Det gäller att placera ut sina fartyg så lis-

tigt som möjligt – tekniken lär man sig ganska snabbt.

Spelet går ut på att sänka skepp – man avlossar en salva genom att säga t ex A 4 till sin medspelare. Finns ett fartyg i den rutan svarar man "träff". Om rutan är tom svarar man "bom". Vid träff får man fortsätta att skjuta. När ett fartyg är helt sänkt måste man tala om det. Genom att fylla i sina skott på den tomma spelplanen får man efter en stund uppfattning om var motståndarens olika fartyg finns utplacerade. Dessutom undviker man att skjuta i samma ruta flera gånger. Vinnare blir den som först har sänkt motspelarens alla fartyg.

JAG Acke, Morgonluft, Nationalmuseum, Stockholm

PARADISETS TIMMA

När människorna sova
vid sommarnattens sken
och tusen röster lova
sin fröjd från gren till gren,
då purpras lingonriset
av stilla skyars gull;
då hägrar paradiset
än över jordens mull.

Du äng, låt kalkar glimma
kring älvans lätta häl!
Du paradisets timma,
din dagg gjut i vår själ!
Än jublar fågelsången
kring gryningsljusa sund
så klar som första gången
i tidens första stund.

VERNER VON HEIDENSTAM

Vem kan segla förutan vind, vem kan ro utan åror...

Stekhet sommardag i Bergs slussar, Göta Kanal.

CALLE SCHEWENS VALS

I Roslagens famn på den blommande ö,
där vågorna klucka mot strand,
och vassarna vagga och nyslaget hö
det doftar emot mig ibland,
där sitter jag uti bersån på en bänk
och tittar på tärnor och mås,
som störta mot fjärden i glitter och stänk
på jakt efter födan, gunås.

Själv blandar jag fredligt mitt kaffe med kron
till angenäm styrka och smak
och lyssnar till dragspelets lockande ton
som hörs från mitt stugugemak.
Jag är som en pojke, fast farfar jag är,
ja rospiggen spritter i mig!
Det blir bara värre med åren det där,
med dans och med jäntornas blig.

Se måsen med löjan i näbb, han fick sitt!
Men jag fick en arm om min hals!
O, eviga ungdom, mitt hjärta är ditt,
spel upp, jag vill dansa en vals!
Det doftar, det sjunger från skog och från sjö,
i natt skall du vara min gäst!
Här dansar Calle Schewen med Roslagens mö
och solen går ned i nord-väst.

Då vilar min blommande ö vid din barm,
du dunkelblå, vindstilla fjärd
och juninattsskymningen smyger sig varm
till sovande buskar och träd.
Min älva, du dansar så lyssnande tyst
och tänker att karlar är troll,
den skälver, din barnsliga hand som jag kysst
och valsen förklingar i moll.

Men hej, alla vänner som gästa min ö!
Jag är både nykter och klok!
När morgonen gryr ska jag vållma mitt hö
och vittja tvåhundrade krok.
Fördöme dig, skymning, och drag nu din kos!
Det brinner i martallens topp!
Här dansar Calle Schewen med Roslagens ros,
han dansar till solen går upp!

EVERT TAUBE

Rättsinnehavare:
Elkan & Schildknecht,
Emil Carelius

Calle Schewens bord och bänk på Håtö Svansar. Där satt han och njöt sitt kaffe med kron, den eminente skärgårdskarln som enligt Albert Engström "kunde varje kanna vatten mellan Håtö och havet".

Bakgrund: Omkring år 1930 blev Taube invald i ett sällskap som kallades "Pelarorden". Föreståndare var tecknaren och författaren Albert Engström (1869–1940). Taubes inträdesprov bestod i att komponerna en sång.

Sällskapet brukade träffas i godsägare Carl von Schewens stuga på Håtö Svansar i Roslagen. Denne lär ha varit mycket skicklig på att dansa vals, och gav Taube inspiration till "Calle Schewens vals".

LÖRDAGSKVÄLL

Vinden vilar, viken ligger som en spegel,
kvarnen somnar, seglarn tar ner segel.
Oxarna bli släppta ut i gröna hagen,
allting rustar sig till vilodagen.

Morkullsträcket drager över skogen,
drängen spelar dragklavér vid logen,
förstukvisten sopas, gården krattas,
trädgårdssängar vattnas och syrener skattas.

På rabatten ligga barnens dockor
under brokiga tulpaners klockor.
Bolln i gräset lagt sig i skym unnan,
och trumpeten drunknat uti vattentunnan.

Gröna luckor äro redan slutna,
låsen stängda, reglar skjutna,
frun går själv och släcker sista ljuset,
snart i drömmar sover hela huset.

Ljumma juninatten slumrar stilla,
still står gårdens nötta vädervilla,
men i stranden ännu havet gormar;
det är bara dyningar från veckans stormar.

AUGUST STRINDBERG

Stugan vid Norrtäljevägen. Solnedgång i gammal Dalaby.

Ur STRÖVTÅG I HEMBYGDEN

Det är skimmer i molnen och glitter i sjön,
det är ljus över stränder och näs
och omkring står den härliga skogen grön
bakom ängarnas gungande gräs.

GUSTAF FRÖDING

JAG GÖR SÅ ATT BLOMMORNA BLOMMAR

Du ska inte tro det blir sommar,
ifall inte nån sätter fart
på sommarn och gör lite somrigt,
då kommer blommorna snart.
Jag gör så att blommorna blommar,
jag gör hela kohagen grön,
och nu så har sommaren kommit,
för jag har just tagit bort snön.

Jag gör mycket vatten i bäcken
så där så det hoppar och far.
Jag gör fullt med svalor som flyger
och myggor som svalorna tar.
Jag gör löven nya på träden
och små fågelbon här och där.
Jag gör himlen vacker om kvällen,
för jag gör den alldeles skär.

Och smultron det gör jag åt barna,
får det tycker jag dom kan få,
och andra små roliga saker
som passar när barna är små.
Och jag gör så roliga ställen,
där barna kan springa omkring,
då blir barna fulla med sommar
och bena blir fulla med spring.

En titt på Alnön från Södra stadsberget i Sundsvall.

T.h: Morgontidiga tågluffare på Riksgränsens järnvägsstation.

Pojken och kråkan på Drottningholmskajen.

Tidig morgon vid kåtorna och tälten i Jukkasjärvi.

Stolt glider renen över hjortronmyren i Abisko.

Sveriges vackraste parkering finns vid vägen som går från Kiruna till Riksgränsen. Ett eldorado för bilturister och husvagnsägare.

Ett livets under – där djupa snödrivor nyss täckte marken har sommarvärmen väckt fjällängens blommor. Norra Storfjällsmassivet i Tärnaby, Västerbotten.

Sommarkvällen i Stockholm bjuder på många sköna miljöer. Utsikt från Söder Mälarstrand ut mot Riddarfjärden med Stadshuset i centrum av bilden.

Erik Hallström, Sommardag i Haga, Nationalmuseum, Stockholm

N:o 64
HAGA

Dediceras till Herr Kaptenen Kjerstein.

Fjärlin vingad syns på Haga
mellan dimmors frost och dun
sig sitt gröna skjul tillaga
och i blomman sin paulun;
minsta kräk i kärr och syra,
nyss av solens värma väckt,
till en ny högtidlig yra
eldas vid sefirens fläkt.

Haga, i ditt sköte röjes
gräsets brodd och gula plan;
stolt i dina rännlar höjes
gungande den vita svan.
Längst ur skogens glesa kamrar
höras täta återskall,
än från den graniten hamrar,
än från yx i björk och tall.

Se, Brunnsvikens små najader
höja sina gyldne horn,
och de frusande kaskader
sprutas över Solna torn;
under skygd av välvda stammar
på den väg man städad ser
fålen yvs och hjulet dammar,
bonden milt åt Haga ler.

Vad gudomlig lust att röna
inom en så ljuvlig park,
då man, hälsad av sin sköna,
ögnas av en mild monark!
Varje blick hans öga skickar
lockar tacksamhetens tår;
rörd och tjust av dessa blickar,
själv den trumpne glättig går.

CARL MICHAEL BELLMAN

LAGA EN PUNKTERING

Cykeln upplever en renässans. Storstadstrafiken har blivit så tät att man snabbast tar sig fram med cykel. Dessutom är de tvåhjuliga fordonen utmärkta träningsredskap. Man får kondition om man trampar i väg till jobbet eller handelsboden på landet.

Men med cyklarna kommer också punkteringarna. Det gäller att känna till hur man lagar ett cykeldäck. Barn t ex vill sällan vänta så länge på sin cykel som en verkstad tar på sig för att laga den.

Börja med att titta på det lufttomma däckets ventilgummi eller automatventil. Felen kan sitta där och då är det snabbt avklarat med ett nytt gummi eller ventil. Om däcket efter pumpning ändå inte håller luften får man lossa på hjulet med en skiftnyckel och ta loss däck och slang. Däcket tar man lättast bort från fälgen med s k ringavtagare. Det går också bra med ett par vanliga bordsknivar av rostfritt stål. Med däckets ena sida utanför fälgen är det enkelt att dra ut slangen och kontrollera var luften sipprar ut.

Sätt tillbaka ventilen i ventilhylsan, skruva fast och pumpa luft i slangen. Lyssna noga – är det ett hål hörs ett stilla väsande ljud. Man kan också testa slangen i en hink vatten. Där det är hål på slangen forsar en rad små bubblor ut. Märk ut hålet, torka slangen och slipa stället med sandpapper eller nagelfil. I varuhus och sportaffärer finns reparationsaskar som innehåller allt vad man behöver för att klara en punktering.

Stryk lim runt hålet och låt det torka. Ta bort skyddshinnan på en gummilapp av lämplig storlek och placera den över hålet. Pressa hårt några ögonblick – reparationen av slangen är klar. Innan slang och däck monteras samman är det klokt att känna försiktigt på insidan av däcket. Känner du något vasst har du hittat orsaken till punkteringen. I många fall är det små glasbitar som ätit sig genom däcket – våra gator och vägar är beströdda med bitar av engångsglas. Ta bort det vassa irritationsmomentet, montera ihop. Nu kan du cykla vidare.

ALLEMANSRÄTTEN

Du får:

- gå, cykla, rida eller åka skidor på all mark som inte utgör tomt eller plantering som kan ta skada.
- gå, cykla, rida eller åka skidor på enskild väg.
- plocka vilda blommor och bär, svamp och kottar som inte växer på tomt eller plantering.
- bada eller fara med båt i de flesta naturliga vattendrag.
- dricka och hämta vatten ur källor och sjöar.
- tälta eller ställa upp husvagn under ett dygn (för längre tid fordras markägarens tillstånd).
- att göra upp eld, såvida inte risk för skogsbrand föreligger.
- använda nerfallna kvistar och kvarlämnat ris som bränsle.
- medföra hund överallt, om den är kopplad sommartid (inskränkningar finns dock i de lokala ordningsstadgorna).

Du får inte:

- orsaka skadegörelse eller skräpa ner i naturen.
- åka med motorfordon på annans mark så att skada uppstår, eller på enskild väg när vägens ägare förbjudit sådan trafik.
- bryta grenar eller kvistar från träd och buskar eller ta näver, bark, löv, bast, ollon, nötter eller kåda från växande träd och buskar.
- ta fridlysta blommor.
- ställa upp husvagn där skador på marken kan uppstå.
- göra upp eld så att det finns risk för brand.
- låta hundar springa lösa sommartid eller på annans jaktmark.
- vistas på annans tomt eller på plantering som kan ta skada.
- plocka blommor, bär eller svamp i plantering.

PLOCKA DITT EGET TE

Ett bra sätt att spara sommaren är att plocka örter som kan användas som te. En solig morgon är den idealiska tiden, då är aromen hos växterna som starkast. Man kan nästan plocka med sig solskenet in att användas i en kopp rykande hett vatten en kall vinterkväll.

Det finns flera sätt att torka eget te. Man kan breda ut blad och blommor på en torr och varm vind. Eller så kan man klä en bakplåt med aluminiumfolie och sätta in örterna i bakugnen. Temperaturen ska från början vara 35–40 grader och sedan får ugnen sakta svalna. Viktigast är att örterna blir knastertorra, ungefär som det te som man köper i butik.

Ditt te förvarar du i glasburkar eller plåtburkar med skruvlock. Glasburk skall stå mörkt. Sedan när det är dags att laga ditt te tar du ungefär en tesked per tekopp kokande vatten och låter det dra 3–5 minuter.

Här följer några förslag på goda och nyttiga örtteer:
björk – blad och knoppar
björnbär – blad
enbär – krossade bär
fläder – blommor
johannesört – blad
kamomill – blommor
lavendel – blad och blommor
lind – blommor
mjölke – blad
nypon – bär
mynta – blad
rölleka – blommor och blad
smultron – blad
styvmorsviol – hela växten
äpple – fruktskal

SÅ GJORDE MORMOR MASKROSVIN

En gammal fin tradition som håller på att glömmas bort är hur man gör vin på maskrosor. Detta meddelas endast för kännedom, av någon outgrundlig anledning är det nämligen numera förbjudet att tillreda maskrosvin.

Så här såg ett vanligt recept ut:

3 liter av det gula på maskrosorna
4 liter kokande vatten
saften av två citroner och två apelsiner
2 kg socker
50 gram jäst

Det kokande vattnet hälldes över blommorna, och så lät man dekokten stå i 48 timmar. Sedan silades blandningen ner i en ren kruka tillsammans med socker, jäst samt saften av apelsin och citron. Därefter hällde mormor över satsen i en kruka, en handduk lades över och brygden fick stå i lagom rumstemperatur. Det rördes ofta om i krukan och skum och eventuellt mögel togs bort med slev. Efter tre veckor var vinet klart att filtreras, buteljeras och korkas. Flaskorna förvarades i kallkällaren.

Så gjorde mormor. Numera är det som sagt förbjudet.

Körsbärsblom, Ängsö nationalpark i Stockholms norra skärgård.

FLÄDERBLOMSSAFT

30 fina fläderblomsklasar
3 citroner
1,5 kg socker
60 gram citronsyra
1,5 liter kokande vatten
ev. 2–3 gram natriumbensoat

Tvätta först citronerna noga i kokande vatten. Skiva dem ytterst tunt. Varva blommorna med citronerna i en kruka eller rostfri hink.

Koka upp vattnet och blanda ner sockret. Rör om tills sockret löst sig. Lyft av kastrullen från värmen och rör ner citronsyran. Om saften ska sparas mer än två månader så tillsätt 2–3 gram natriumbensoat, utrört i lite av det heta lagen.

Häll sockerlagen varm över blommorna och citronerna, men var försiktig så att inte kärlet spricker av hettan. Täck kärlet, och låt det stå svalt i fem dygn.

Sila av saften och fyll den på rengjorda flaskor. Saften måste förvaras i kylskåp om du inte har tillsatt natriumbensoat.

En del saft och fyra delar vatten ger en god och svalkande dryck. Vid festliga tillfällen kan man blanda saften med vin och dekorera med citronskivor och fläderblommor.

Ingrids sommarbukett i den gamla krukan.

BLÅBÄRSPAJ

6–7 dl blåbär
1 dl socker
1 msk potatismjöl

Pajdeg:
2,5 dl vetemjöl
1 hg smör eller margarin
1–2 msk vatten eller grädde
1/4 tsk salt

Hacka samman ingredienserna till degen och knåda den lätt. Låt degen vila någon timme innan den kavlas ut. Man kan antingen täcka botten på formen med ett tunt lager deg, eller också använda allt till lock.

Låt blåbären rinna av ordentligt om de måste sköljas. Blanda dem sedan med potatismjölet (som ska ta upp fuktighet från bären) och sockret, och lägg blandningen i botten på den smorda formen. Lägg över pajdegen, men tryck inte till kanten hårdare än att ånga kan sippra ut.

Grädda i 200–250 graders värme i ca 20 minuter. Servera gärna pajen direkt med kall vispgrädde.

LINGONSYLT

1 kg lingon
2–4 dl vatten
500–750 gram socker

Skölj lingonen och koka dem i tio minuter med vattnet. Ta av sylten från plattan, skumma. Häll den heta massan över sockret och rör det hela i 30 minuter. Ös upp sylten på förvaringskärl och tillslut dem.

MURKLOR

Murklor, och även andra svampar som champinjoner, kantareller, musseroner och kremlor, kan man hitta om man ger sig ut i markerna på sommaren. Ett nygammalt sätt att förvara dem är genom torkning. Det är viktigt är att det görs snabbt, så att svampen inte hinner bli skämd. Svampen kan torkas på svag ugnsvärme, 35–40 grader, och sedan förvaras i påsar av tunt tyg, eller, om den är garanterat snustorr, i glasburkar.

Svampmjöl av torkad svamp är mycket användbart som smaksättning, men annars kan man mjuka upp svampen i kallt vatten och sedan använda den som färsk.

Murklor som inte torkas utan tillagas på annat sätt måste först förvällas. Det innebär att man kokar dem i fem minuter och häller bort spadet. Sedan kan man till exempel steka upp dem i smör och krydda med salt, peppar och citron. Det blir helt delikat i all sin enkelhet.

NÄCKEN

Kvällens gullmoln fästet kransa.
Älvorna på ängen dansa,
och den bladbekrönta näcken
gigan rör i silverbäcken.

Liten pilt bland strandens pilar
i violens ånga vilar,
klangen hör från källans vatten,
ropar i den stilla natten:

"Arma gubbe! Varför spela?
Kan det smärtorna fördela?
Fritt du skog och mark må liva,
skall Guds barn dock aldrig bliva!

Paradisets månskensnätter,
Edens blomsterkrönta slätter,
ljusets änglar i det höga –
aldrig skådar dem ditt öga."

Tårar gubbens anlet skölja,
ned han dyker i sin bölja.
Gigan tystnar. Aldrig näcken
spelar mer i silverbäcken.

ERIK JOHAN STAGNELIUS

Ernst Josephson, Näcken, Nationalmuseum, Stockholm

Carl Larsson, Kräftfångst, Nationalmuseum, Stockholm

KRÄFTSKIVAN

Svenska kräftor är numera sällsynta djur. Det är få förunnat att i augustinatten kunna sänka ner burar och stolt lyfta upp ett tjog eller fler ur vattnet. Det blir en upplevelse som man inte glömmer i första taget. Den som inte har tillgång till dessa fröjder får hämta sina kräftor i kyldiskarnas stela värld.

Vi förutsätter emellertid här egen fångst och att den har varit god. Nu kommer det viktiga ögonblicket när det rara djuren skall förvandlas till läckerheter.

De nyfångade kräftorna bör sköljas tre gånger innan de kokas. Lagen till ett tjog består av ca 2,5 liter vatten, 1 dl grovt salt (undvik jodsalt), en sockerbit och mycket rikligt med dillkronor. En pilsner förhöjer också smaken. När lagen kokar lägger man i kräftorna och låter dem koka åtta minuter. Därefter tas de nu läckert röda delikatesserna upp och läggs i en kruka eller likvärdigt kärl tillsammans med ny dill. Där förvaras de ett dygn för att få den svenska smaken, dvs ett dillmättat kött, lagom salt.

När det är dags för festen i augustikvällen läggs kräftorna upp på ett stort fat, med klorna utåt. Dekorera med dillkronor. Till kräftorna serveras förslagsvis bröd, smör, ost och lämpliga drycker. Källarsvalt öl är ett måste och behöver förslagsvis inte vara av den starkaste sorten.

När det gäller själva ätandet av kräftan finns

"En skål i bröder som vilse vandra, en skål för livet som rullar hän!" Broder Thors visa.

åtminstone ett säkert sätt. Det börjar med att man bryter av en klo och suger ut spadet genom det klolösa benet. Därefter gör man ett snitt precis bakom ögonen med kräftkniven och bryter bort kräftans spetsiga nos. Med denna metod undviker man att trasa sönder gallblåsan som definitivt förstör smaken. Nu kan man lätt lyfta av skölden och göra det viktiga suget tvärs över ryggen. Glöm sedan inte att skrapa kräftsmöret ur skölden, en verklig delikatess.

Nu kommer turen till stjärten. Den skalas och tarmen tas bort. Prydliga kräftätare ordnar sköldarna på tallriken för att kunna hålla reda på antalet konsumerade kräftor.

MERA BRÄNNVIN

Melodi: Internationalen

Mera brännvin i glasen,
mera glas på vårt bord.
Mera bord på kalasen,
mer kalas på vår jord!

Mera jordar och månar,
mera månar i mars.
Mera marscher till Skåne,
mera Skåne, Gu bevars!

SVENSK SOMMAR
©Bobby Andström 1987
Wahlström&Widstrand, Stockholm, 1987
Tryckt i Italien 1987 av New Interlitho, Milano
Redaktör: Katarina Bjärvall

ISBN 91-46-15426-4

S 691